CABANES

Le Génie du lieu

MARIE-FRANCE BOYER

LE GÉNIE DES

CABANES

134 illustrations, dont 130 en couleurs

 **Thames & Hudson**

A ceux qui ramassent le bois d'épave
et reconnaissent les nids,
A ceux qui aiment l'odeur de la résine et du foin,
de la fougère et du varech.

Conception graphique : Michael Tighe

© 1993 Thames & Hudson, Londres
© 1993 et 2002 Thames & Hudson SARL, Paris
Texte © 1993 Marie-France Boyer

Page de faux-titre : En Dzoungarie, dans le Sin-kiang.
Page de titre : Cabane de pêche en Gironde.
Sommaire : Haïti, Northumberland, Bretagne, Paris, Shropshire.

SOMMAIRE

J'ai toujours eu des cabanes. Enfant, pendant les grandes vacances dans notre île bretonne, nous avons d'abord construit au sol des cabanes tapissées de fougères parfumées. Avec l'adolescence, nous sommes montés dans les branches des cupressus où nous retrouvions la « bande », loin des yeux des parents. Mon père m'emmenait sur le cadre de sa bicyclette chercher des huîtres dans celles des « parqueurs ». Noires et plates, enfoncées dans des vasières vertes et odorantes, avec des hypocampes punaisés aux murs entre les cirés jaunes et les bottes noires, elles inquiétaient : on disait qu'un pirate se réfugiait dans les parages. Adulte, j'ai connu les cabanes des amis, dormi dans des cabines de bains du Cotentin au moment des grandes marées lorsque la mer venait lécher le pied des lits superposés. J'ai

MES CABANES
« JE VIS ICI DE RIEN DANS MA CABANE SI HEUREUX ET SI RICHE » JEAN COCTEAU

pris le sauna en Finlande parmi les canards sauvages sur la Baltique, la cabane était rouge. J'ai guetté le gibier d'eau à la tombée du jour dans la baie de Somme ; là, elle était en béton recouverte de ronces, à demi enfoncée dans l'eau. Je n'aimais pas ça. J'ai failli acheter la cabane d'un pêcheur de homards du Maine. Désaffectées, en « shingle » argenté par les embruns, perchées sur leurs pilotis, celles-là s'écroulent. Il y a dix ans, je me suis installée à Ménilmontant. Dans les jardins ouvriers qui accompagnent chaque appartement de l'immeuble, il y en avait une pour moi. Sur le toit en papier goudronné, j'entends les chats, les feuilles de l'automne, la pluie, la grêle ; j'y surveille les merles, les rosiers, les cœurs-de-Marie. Mon voisin, garçon de café à la retraite, répare son vélomoteur dans la sienne, le nez sur ses géraniums. C'est le Paris de Robert Doisneau, de Jacques Prévert.

Ni baraque, ni appentis, ni remise, ni masure, ni bicoque, ni folie (une cabane ne peut avoir d'élégance), ni kiosque, ni case, ni tente, ni vraiment yourte, ni « bories » du Luberon, ni « trulli » des Pouilles, ni « tatayot » de Minorque, ni vraiment grenier à mil du Sénégal, mais un peu tout cela à la fois, la cabane est un lieu précaire, éphémère et poétique, de petites dimensions, qui réalise une fusion avec la nature. Elle est proche du nid coincé dans la fourche d'un arbre ou dans une falaise dominant la mer. C'est là qu'un marcheur comme Stevenson, lors de son *Voyage dans les Cévennes avec mon âne*, au XIXe siècle, rêve de poser son sac, de faire un somme ou de passer la nuit dans la paille sèche. Menacée par les intempéries, la cabane n'est pas vouée à durer. C'est provisoirement qu'elle

ABRI MINIMUM
DE L'HOMME DANS LE VASTE MONDE SOUS LA VOÛTE ÉTOILÉE

abrite un humain. Par choix ou par nécessité. Aussi peut-elle être tout autant lieu d'harmonie, lié au plaisir, à l'enfance, que lieu de tristesse et de dénuement : on vit alors dans une « cabane à lapins », « comme un clochard », et on finit même « en cabane ». Habiter une cabane, c'est n'avoir aucun lien avec le monde de la consommation puisqu'une cabane qui se respecte n'a ni eau, ni électricité, son mobilier se bornant à une table, une chaise, un poêle, une bouilloire, un réchaud lilliputien et encore... Peut-être rien que de vieilles chaussures boueuses, un arrosoir, des outils. Son seul luxe : les images collées au mur : calendrier des postes, coupures de journaux, photographies. Si la cabane est « pauvre » à l'intérieur, elle fait preuve, à l'extérieur, d'une variété inouïe quant aux matériaux employés. Privilégié, le bois : les branches ou les feuillages, les « palettes » de déménageurs et les planches de chantier, les bois d'épave, les traverses de chemin de fer. Tout de suite après vient la tôle ondulée qui, utilisée pour le toit ou les murs, est récupérée à partir de gros bidons d'essence rouillés. Et puis il y a le carton, la bâche, la toile cirée, le papier goudronné, le plastique, les pièces détachées d'automobile, de bus, de tram, les portes et les fenêtres « détournées », la terre, l'argile, la boue, le torchis, les palmes, les fougères, les genêts, les ajoncs, le lierre, les joncs, les bambous, le grillage et les couvercles de lessiveuses. Une grotte, un tronc d'arbre, un wagon de chemin de fer, une baraque de chantier, un bunker rebricolé avec les matériaux ci-dessus feront également l'affaire. C'est le triomphe de l'imagination. La cabane vient juste après le manteau, le ciré, la cape et la houppelande du berger, c'est la carapace du pauvre hère étonné, son écran face aux intempéries, son bouclier contre les éléments déchaînés. A la recherche d'une vie sobre et naturelle, le philosophe Diogène que l'on cite aujourd'hui comme le modèle du sage – marginal – méprisant les honneurs, les richesses, les convenances, vivait les pieds nus, drapé dans son unique manteau, dans un tonneau d'où il haranguait ses semblables avec cynisme et causticité... Il a pour complices les trois ours, les trois petits cochons, Hansel et Gretel, mais aussi Huckleberry Finn et Tom Sawyer. Aujourd'hui, de même que le blue-jean du travailleur américain a été récupéré par la civilisation des loisirs, la cabane est happée par la publicité, le milliardaire en quête de sensations. Ainsi Ralph Lauren reconstruit des décors inspirés des cabanes de pêcheurs sur pilotis. Des agences proposent aux New-yorkais blasés des week-ends de pêche en cabane dans le Vermont ou le Maine, tout comme on peut louer des *lodges* au Kenya. Les adultes font alors semblant d'imiter les enfants qui font semblant d'imiter les adultes... Mais à ces cabanes faussement naïves manquera toujours quelque chose, car c'est le temps, le hasard, l'esprit, et eux seuls, qui font d'une cabane un lieu magique.

Pour tous ceux qui ont su garder un œil innocent, les cabanes qui abritent des cochons, des chèvres, des moutons, des poules ou de vieux ânes, ont le même pouvoir de fascination que celles des contes. Là-bas sur la montagne, nichée au creux de la vallée, à l'écart de la route, au fond du pré, la modeste bâtisse est un signal magique. Est-ce la nostalgie d'un autrefois où hommes et bêtes cohabitaient ? On se pose une question qui restera souvent sans réponse – car on passe trop vite : qui s'abrite là ? La vie de l'esprit s'emballe, on songe à un mode de vie, à un paradis perdus... on imagine l'odeur de la paille fraîche, la mousse, la résine qui suinte lentement. Au Mexique, dans la Sierra Madre, les indiens de Terrahuyas construisent des cabanes à poules sur pilotis afin de les protéger du renard : elles ont une

CABANE D'ANIMAL

ÉPHÉMÈRE, ISOLÉE, VOUÉE AUX INTEMPÉRIES, SOUVENT LE FRUIT DE LA RÉCUPÉRATION

vue imprenable sur l'ennemi ! Car la cabane pour animaux doit dissuader les prédateurs de toutes espèces. A Ceydoux, dans le Massif Central, sous un chêne centenaire près d'une rivière où l'eau coule comme au premier jour de la Création, une construction neuve, en tôle ondulée, argentée, adossée à un vieux mur de granit, est imprégnée de l'odeur forte du bouc qui hante les lieux avec sa trentaine de chèvres. Dans l'île d'Ouessant, les habitants fabriquent des abris pour les brebis qui vont mettre bas en vaine pâture. Dans la lande, ils sont faits de morceaux de bidons mêlés de bois d'épaves, de mottes de terre enfermées dans les lambeaux de filets de pêche en guise de toitures. Certains touristes, au grand dam des insulaires, entendent l'appel irrésistible de ces huttes abritées du vent, dominant la mer immense. Ils y passent parfois la nuit. En rêvant d'y passer toute leur vie.

Page 7 : A la Jamaïque, palmes et tôle ondulée.

Page 10 : bouc ou sorcière, qui se cache dans cette cabane du Jura ?

Page de gauche : une épave de voiture devenue le refuge des moutons, des chèvres, des poules et des enfants de Toulx-Sainte-Croix dans la Creuse. *Ci-contre,* en Corse, c'est une vieille camionnette Citroën qui sert aux seuls moutons.

La tôle ondulée rouillée dans toute sa splendeur en Angleterre : *ci-contre*, une ancienne bergerie dans les marais de Romney, et *ci-dessous*, un hangar de la RAF utilisé

pour le bétail dans l'East Anglia. *Ci-dessus*, cet agglomérat de bois et de vieux bidons déroulés abrite des moutons corses.

Deux abris troglodytes : *ci-contre,* à La Palma et *en bas,* à Grande Canarie ; les bêtes y côtoient le matériel agricole. *Ci-dessous,* ce cube de pierre et de tôle, dans l'île de Beauté, sert au berger.

Page de droite : les poules, les chèvres et un vieil âne hantent cet amas de ficelle et de planches parmi les cactus de Punta Gorda à La Palma dans les îles Canaries.

Page de gauche, en haut et au centre : l'hiver, en Hollande, des cabanes rouges, vertes ou noires abritent les vaches ; parfois, on y engrange aussi le foin. *Page de gauche, en bas,* une cabane-colombier créée spécialement dans le Derbyshire, en Angleterre, pour une famille de pigeons voyageurs. *Ci-contre,* en Corse, les chèvres ont squatté cette bâtisse, dont les anciens occupants, d'humbles humains, avaient ménagé une ouverture pour leurs chats.

La cabane résidence principale est le lieu des extrêmes. Wagon de chemin de fer, bunker repensé, camion sans roues, écaillé, équipé d'une cheminée, recouvert de cartons, de bâches, de fourrures, structures en bois accumulées, articulées de façon aussi improbable qu'ingénieuse. Un typhon, une tempête, un grand froid auront vite fait d'en venir à bout. C'est l'habitat subi de l'extrême isolement. En Alaska, en Patagonie, en Sibérie, on amène par hélicoptère des éléments qu'on abandonnera sur place avec les boîtes de sardines et les cans de bière. Un quelconque chantier surgi de nulle part a amené quelques êtres humains à travailler là pour un temps. La cabane de l'extrême dénuement et de la pénurie économique, on la rencontre particulièrement dans les pays en voie de développe-

RÉSIDENCES

SUBIE PAR LES PLUS DÉMUNIS, ADOPTÉE PAR LES PLUS FORTUNÉS,

ment. En Haïti, à Madagascar, en passant par les favellas du Brésil et par tous les bidon-villes du monde. Le soleil fait un instant miroiter la poésie et l'ingéniosité de ces agrégats que la moindre pluie rend pitoyables. Dans les campagnes de certains pays d'Afrique et d'Asie que la civilisation n'a pas encore touchées, la cabane de feuilles ou de boue parle encore de celles des premiers humains. Primitive, la hutte de l'agriculteur du Zaïre sous son bananier, la hutte en boue d'argile du chasseur de Namibie hérissée de bâtons, la hutte de feuillages de l'Amazonie et pourquoi pas la yourte d'Asie centrale faite de peau et de branches, posée sur son paysage immense ? Pour Sukkoth, la « fête des cabanes » de la religion juive, cinq jours après Yom Kippour, nombreux sont ceux qui en construisent encore sur leur balcon ou dans leur jardin avec quatre bâtons et quelques palmes (aux feuilles suffisamment écartées pour laisser voir les étoiles). Cet abri symbolique rappelle les cabanes éphémères qui rendirent possible la traversée du désert après le passage de la mer Rouge. Si elle est mythique pour certains, la cabane devient pour d'autres synonyme d'identité. Pour « retrouver son identité », comme il le dit, Thierry Thiboideau, aujour-d'hui installateur de magasins, vivant en appartement, a passé quinze ans dans un cube démontable de 3 m sur 1 m 50. « Dans les années 80, je vivais en communauté. J'avais inventé ce " module " – quelques planches et des boulons – pour moi et pour quelques copains. Avec un matelas et deux ou trois étagères, je le reconstruisais là où je voulais vivre. Il me garantissait une dignité minimum au sein du groupe et me laissait penser que

PRINCIPALES
LA CABANE RÉSIDENCE PRINCIPALE EST UN LIEU DES EXTRÊMES

je m'isolais. On frappe pour entrer. On ne sait ni qui est dedans ni ce qu'il fait. Il m'arrivait aussi de l'installer dans un jardin ami ou encore dans la pleine nature comme une tente. »

Au Canada, l'Indien Mohawk, forcé d'habiter dans une réserve loin de sa forêt dévastée, refuse l'habitat préfabriqué anonyme et construit une cabane en rondins, décorant sa porte de bois d'élan. Le clochard, lui aussi, choisit parfois la cabane pour affirmer sa liberté. Alors qu'il pourrait vivre en hospice, il préfère s'installer à l'air libre sous un pont ou face à la mer, grabat qu'il a choisi lui-même comme son vieux chien. Rares et extravagants, certains nantis de notre fin de siècle choisissent des pays de soleil. Ainsi le décorateur américain Stewart Church, installé au Maroc depuis des lustres, créateur de boîtes de nuit, de maga-sins, de palais sophistiqués pour des magnats du Golfe, s'est retiré à vie dans des collines à

une cinquantaine de kilomètres de Tanger avec son compagnon, une vingtaine de chiens, quelques ânes, quelques chats. Ils n'ont pas l'électricité ni le téléphone, quelques tapis au sol leur suffisent pour dormir, mais Stewart s'est offert deux grands luxes : il a tiré l'eau d'une source, à grand prix, et s'est construit à l'écart un petit monument doré, sorte de kiosque sophistiqué sous lequel il va voir se lever et se coucher le soleil. Sa grande table d'architecte est l'un de ses seuls meubles. Il gare toujours sa voiture à un kilomètre de sa cabane et, depuis quinze ans, gravit à pieds le flanc de la montagne, qui sent le thym. Souvent donné en exemple, Robinson Crusoé, lui, n'a pas le choix. Pour lui, la vraie vie réside dans tous les objets de la civilisation qu'il débarque de son bateau avant que celui-ci ne coule.

« A PARTIR DE QUAND UN LIEU DEVIENT-IL VRAIMENT VÔTRE ?... EST-CE QUAND ON A PUNAISÉ AU MUR UNE VIEILLE CARTE POSTALE REPRÉSENTANT LE SONGE DE SAINTE URSULE ?... » GEORGES PÉREC

Nombre de ses préoccupations consistent d'abord à améliorer son lieu de vie en accumulant les reliques de sa civilité perdue. On imagine qu'au XXe siècle, et s'il avait pu regagner la civilisation, il aurait fait un brillant consommateur. Néanmoins, il résume parfaitement les problèmes que posent la cabane naissante, son « château », dit-il. « Je devais considérer plusieurs paramètres dans le choix du site : 1) salubrité et eau douce 2) protection contre les intempéries 3) protection contre toutes créatures, rapaces, hommes, bêtes sauvages 4) vue sur la mer afin que, si Dieu envoyait quelque goëlette dans les parages, je puisse en profiter pour ma délivrance. » Mais nos extravagants d'aujourd'hui qui choisissent de vivre à l'écart de leurs contemporains jurent au contaire que cette façon de vivre en pleine nature loin de tout – quoique avec leur ordinateur portable préféré –, c'est pour toujours...

Pages 22-23 : à quelques centaines de mètres d'un village normand, un bunker face à la Manche s'est parfaitement adapté à son réaménagement. *Ci-contre,* cette cabane du cap Ferret en Aquitaine a la sophistication de celles du

couturier Ralph Lauren : près de la dune, sous ses tuiles XVIIIᵉ de Saint-Émilion, elle permet à un élégant homme d'affaires de jouer le rat des champs en compagnie de son épouse et de leurs sept enfants, au milieu des pins, des yuccas et des oyats.

25

Ci-dessous : dans le Montana, aux États-Unis, une minuscule résidence secondaire évoque la cabane au Canada chantée par Line Renaud. *Ci-contre,* une vision des choses un peu

différente : c'est pour préserver son identité culturelle que ce Mohawk a coiffé de bois d'élan son patchwork de bois, où il vit tristement dans sa réserve... au Canada.

Page de gauche, en haut : ces baraques et, *page de gauche, au centre et à gauche,* ces caravanes dites « Diogène » (parce que leur forme rappelle le tonneau du philosophe grec) sont destinées aux techniciens et aux manœuvres des chantiers. Livrées par hélicoptère en pièces détachées, elles sont abandonnées sur place, dans l'immensité de Vortuka en Sibérie. *Page de gauche, en bas, à droite,* les autochtones se les approprient et augmentent parfois leur confort à l'aide d'une couche de fourrures superposées. *Ci-contre,* à Hastings, dans le Sud de l'Angleterre, un wagon de chemin de fer s'est ancré à jamais, lui aussi, dans le paysage, agrémenté d'une cheminée et d'un jardin plutôt coquet l'été.

Pages 30-31 : en Chine, à Urumaï, au bord du lac céleste Xinjiang, les nomades montent et démontent leur yourte en peau tendue pour suivre le troupeau.

Page de gauche et, cette page, en haut, à droite : en Afrique, dans l'Orange, les femmes Basuto construisent de moins en moins ces cases de boue dont les peintures extérieures écartent les mauvais esprits. *En bas, à droite,* les couleurs des baraques haïtiennes expriment au contraire la joie de vivre : « contre mauvaise fortune bon cœur ». *A droite, au centre,* dans le Norfolk, en Angleterre, un wagon de chemin de fer aménagé affiche l'humour de rigueur pour ce genre de cabane : il est baptisé « Linga Longa », « Sam Suffit » en français.

Pages 34-35 : à Bahia, au Brésil, on jette les ordures du haut des pilotis sur lesquels sont perchés ces bidonvilles bourrés d'enfants. Mais chaque cabane possède – miracle de la technique ! – sa télévision couleurs.

Ci-contre : en Namibie, hutte de boue moulée sur des branches, construite par les Himbas de Purros, redoutables chasseurs de rhinocéros. *A droite,* un bungalow aux Antilles ; une yourte chinoise en peau – multicolores et brodés, les tissus roulés pour le voyage sont son seul décor (*voir* pages 30-31) ; une hutte au Zaïre, dont les murs sont en terre et dont la couverture est faite d'herbes.

La cabane au fond des bois est liée au secret. Dans les années 50, Line Renaud la remit à la mode. Dans le Sud-Ouest de la France, on rencontre souvent ces « palombières » que fréquente Thérèse Desqueyroux, l'héroïne de François Mauriac. Pour tromper le gibier, les matériaux (le genêt, la fougère et le pin) la rendent invisible comme le plumage de l'oiseau. Dans les Landes, elle est installée au sommet d'un pin et reliée au sol par une échelle camouflée sous un invraisemblable tunnel de verdure. Dans ce mirador dominant la forêt, les hommes vont s'exercer à reproduire le roucoulement de la palombe.

AU FOND

SE TERRENT DANS LEUR ANTRE ENFANTS, CHASSEURS,

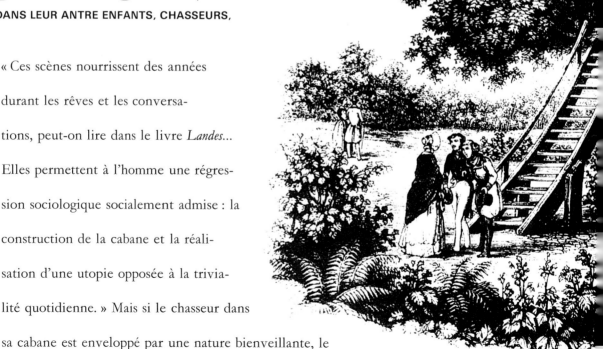

« Ces scènes nourrissent des années durant les rêves et les conversations, peut-on lire dans le livre *Landes...* Elles permettent à l'homme une régression sociologique socialement admise : la construction de la cabane et la réalisation d'une utopie opposée à la trivialité quotidienne. » Mais si le chasseur dans sa cabane est enveloppé par une nature bienveillante, le

promeneur, au contraire, craint la rencontre avec l'homme des bois ou la sorcière.

« Cabanes », c'est le titre du premier chapitre des *Vacances,* le livre Rouge et Or le plus célèbre de la comtesse de Ségur : les enfants de toutes conditions qui ont eu la chance d'avoir un contact avec la nature ont eu des cabanes. Univers où l'on fait semblant d'être un adulte, loin des yeux des parents, lieu d'initiation aux bruits ou au froid de la nuit, à la solitude et, bien sûr, à la sexualité. Dans l'île de Mayotte, à la puberté, les garçons se construisent une « banga » à l'écart du village dans les bois. Ils auront le droit d'y dormir et d'y faire toutes les « bêtises » liées à cet âge sans que la communauté puisse intervenir. Les scouts,

DES BOIS

SORCIÈRES, CONTREBANDIERS ET MAQUISARDS

grâce à leurs manuels pratiques et à leur science illimitée du nœud, savent construire les cabanes entre deux ou plusieurs troncs et dans les moindres branches. Car la cabane « dans » l'arbre a ses fanatiques. La plus ancienne répertoriée (elle date des Tudors) est celle du parc de Pitchford Hall dans le Shropshire. Montaigne raconte être grimpé dans un arbre italien équipé de plate-formes et de mille jets d'eau voués

Page précédente : au XIXe siècle, à
Montibo, dans le Piémont
italien, on grimpait sur les
plates-formes de cet arbre pour
jouir de la vue et du bon air.
Page de droite, la neige venue, les
enfants du charcutier de Pila,
en Engadine (Suisse), célèbre
pour sa façon de fumer la
viande des Grisons, ont déserté
la cabane accrochée dans les
arbres. Ils y reviendront aux
beaux jours, pour partager de
nouveaux secrets. Le même
rituel existe en Lettonie,
ci-contre.

aux plaisirs des visiteurs éparpillés dans les feuilles. Ces manières furent très prisées des Français au début du XXᵉ siècle. Ils inventèrent au sud de Paris un lieu d'attractions populaire extrêmement célèbre, nommé « Robinson ». On y déjeunait dans les arbres après avoir dansé dessous et surtout beaucoup ri et bu avec les « grisettes » du samedi soir, à demi caché dans les branches. Cette idée qui pourrait paraître désuette est aujourd'hui reprise avec succès dans l'énorme magnolia de l'hôtel Mutiny de « Coconut Grove » en Floride, susceptible d'abriter une soixantaine de convives. Mais, comme dans la pièce de Marguerite Duras, *Des journées entières dans les arbres,* c'est un asile permanent qu'a trouvé un Suisse excentrique en bâtissant sa maison en Inde au-dessus

« UNE DE CES CABANES QUI SERVENT EN OCTOBRE AUX CHASSEURS DE PALOMBES LES ACCUEILLAIT COMME NAGUÈRE LE SALON OBSCUR... UN SEUL GESTE AURAIT FAIT FUIR LEUR INFORME ET CHASTE BONHEUR » FRANÇOIS MAURIAC

du bistro de sa compagne. Côme, le « Baron perché » d'Italo Calvino, monte dans la sienne à l'âge de quinze ans pour n'en descendre que mort et l'agence de presse officielle du Nigéria, NAN, faisait récemment état d'un Mhwelis qui, monté dans un arbre en 1987, refusait d'en descendre malgré les injonctions de ses deux épouses et de ses neuf enfants, consentant à peine à fréquenter les branches basses pour prendre quelque nourriture. C'est dans le tronc creusé par les ans que préfèrent vivre certaines fées. Les catholiques y installent parfois les statues de Vierges ou de saints. Il y a même en Normandie, dans le tronc d'un if que l'on dit cinq fois centenaire (v. page 110), une extravagante petite chapelle gothique qu'on suppose magique : communique-t-elle avec les elfes du centre de la terre pour y puiser quelque force tellurique ?

A l'âge de treize ans, la future reine Victoria monte sur le tilleul six fois centenaire du parc de Pitchford Hall, dans le Shropshire. Elle y observe la chasse au renard depuis la petite maison Tudor aux fenêtres gothiques, qui, construite en 1692, est sans doute la plus ancienne cabane perchée dans un arbre.

Dans les Landes, les chasseurs, fusil à la main et canettes dans la besace, se retrouvent comme les personnages de Mauriac

dans d'odorantes et fragiles constructions de pin. Entre les planches à claire-voie s'échangent tous les secrets des villes et des champs.

Page de gauche, en haut, à gauche : vers 1900, à Robinson, au sud de Paris, les gargotiers hissaient des repas jusque dans les branches où venaient se réfugier les danseurs du samedi soir ; *en haut, à droite,* en 1859, un célèbre manuel de jardinage recommandait cette folie aux bons bourgeois d'alors ; *au centre et en bas, à droite,* à l'instar du Baron perché d'Italo Calvino, un Suisse extravagant passe sa vie dans un arbre au-dessus du bistro de sa compagne en Inde. Les chasseurs landais bâtissent puis maquillent d'étranges édifices au-dessus des cimes, *page de gauche, en bas, à gauche,* pour traquer la palombe et au ras des étangs, *ci-contre, en bas,* pour tirer le canard. C'est une forme rare de régression admise par la société. *Ci-contre, en haut,* à Sadat, dans l'île de Mayotte, près de Madagascar, les adolescents construisent eux-mêmes les bangas où, jusqu'à leur mariage, ils s'autoriseront quelques « bêtises ».

Page précédente, ci-contre et ci-dessous : depuis trente ans, en Hollande, un vieux jeune homme, un peintre, s'est installé une retraite où, en toute saison, il arrive en

bicyclette, avec son violon, ses couleurs, son pain et son fromage. Il s'y isole d'une société trop bruyante à son goût.

Dans les cabanes du bord de l'eau (en Angleterre surtout, de Ramsgate à Eastbourne, de Rye à Worthing, jusque dans le Suffolk), on va prendre le thé, pique-niquer, jouer aux cartes à l'abri du vent, les portes grandes ouvertes sur l'infini… En février on les garde fermées et on emporte sa soupe chaude. Les seigneurs des lieux sont celui qui se baigne toute l'année et le plus ancien locataire. Tout un rituel contribue à la jouissance de ces petites constructions qui engendrent beaucoup de désespoir, de jalousies, de passions. En France, elles sont plus rares, mais certains surfers n'hésitent pas à braver la loi pour dormir sur la côte basque ou dans les Landes afin de mieux surveiller la vague capricieuse. Dès que l'on gagne le sud, au soleil et « sous les palmiers », la cabane

AU BORD DE L'EAU
INVENTÉE POUR LE TRAVAIL DES PÊCHEURS, ELLE PARLE DE SOLEIL, DE LIBERTÉ ET DE PLAISIR

du bord de l'eau, moins sportive, devient synonyme de farniente dans la brise marine, vie sauvage, nudité, bronzage lié à l'inévitable pêche du poisson qui sera grillé sur place. Elle est toute ombres, mollesse et moiteur. Aux îles Canaries, en contrebas du village reculé de Garatia, des colonies d'abris précaires, fermés par de gros cadenas, se sont accrochées comme des nids dans la falaise. Le dimanche, les hommes y sont tôt pour pêcher. Les femmes, en noir, avec tricot et enfants, y descendent le soir par un sentier aussi périlleux que caillouteux. Au coucher du soleil, on cuit les poissons dans de gros chaudrons. Ce bonheur-là ne s'exprimera jamais par des mots. Sur les fleuves, sur les lacs, sur les étangs les plus humbles, les cabanes des pêcheurs, solitaires ou groupées, s'apparentent souvent à des « jardins ouvriers ». Mais, au Canada et aux États-Unis, dans le Maine, le Connecticut ou le Vermont, on loue le même genre de cabane à des vacanciers chics « branchés » qui viennent de New York, Boston, Montréal pour pêcher le saumon, voir le héron bleu, manger des blueberries, dormir sur un petit lit de fer avec une couverture « indienne », accrocher une veste de trappeur au-dessus de « bean boots » : la vie sauvage ! Certains privilégiés ont leur lac privé. En hydravions, ils viennent ouvrir la cabane et sortent les fauteuils en rotin, le canoë, le hors-bord, suivent le vol d'un groupe de canards. En Écosse, tout au bout de la presqu'île qui leur tient lieu de propriété, les Kenneil ont bâti un abri face à la mer, solidement maintenu au sol par un réseau de filins d'acier. Lorsqu'une tempête s'annonce, en grande cérémonie, chargés de thermos et de quelques vivres, certains

LE PLAISIR DE LA CABANE-SAUNA CONSISTE A VOUS FAIRE PASSER

DE LA PÉNOMBRE HUMIDE ET CHAUDE, IMPRÉGNÉE DE FUMÉE, DE RÉSINE

ET DE L'ODEUR DE LA FEUILLE DE BOULEAU À L'EAU GLACÉE D'UN LAC

d'entre eux quittent la maison XVIIIᵉ tapie dans les chênes et parcourent deux ou trois kilomètres de landes pour venir voir le vent se lever, la mer hurler, se déchaîner sur les îles d'Islay, de Jura. La nuit sera fantastique. Demain ils iront dire bonjour aux phoques. Du côté de la Scandinavie, au bout d'un ponton de bois qui s'enfonce dans les joncs, sur des îles aux rochers ronds et luisants, les Suédois, les Finlandais construisent des saunas minuscules et peints en rouge. On y passe de la pénombre humide et chaude imprégnée de l'odeur de fumée, de résine et de feuilles de bouleaux, à l'eau glacée d'un lac, voire de la Baltique comme dans la cabane, inoubliable, en Karélie, d'Armi Ratia, créatrice de la firme textile Marimekko. Jamais la régénération du corps et de l'esprit par la nature ne s'opérera mieux

que dans une petite boîte en bois rouge au pouvoir magique, blottie dans les bouleaux.

Page 52 : c'est sur cette pointe volcanique à l'écart de Las Palmas (Grande Canarie) que Christophe Colomb vint réparer le gouvernail de La Punta en 1492. Les pêcheurs rangent ici avirons, filets, appâts et moteurs.

Page 55, en haut : amarrée par des filins métalliques, cette cabane équipée d'un Butagaz et de quatre lits superposés est utilisée par les habitants de Ard Patrick en Écosse pour observer la tempête, face aux îles d'Islay et de Jura ; *en bas,* à Great Stone, un cube goudronné, posé sur les galets, sert d'atelier à un garde-côte du Sud de l'Angleterre.

Illustrant l'intelligence de la récupération, voici, infiniment poétiques, des résidences secondaires pour dimanches et autres moments de rêve : *page de gauche et page suivante,* cabanes de pêcheurs anglais à Hastings ; et *ci-contre,* cabane à Walberswick, dans le Suffolk. « Je vis ici de rien dans ma cabane si heureux et si riche », écrivait Cocteau au début du siècle.

Page de gauche : à Holy Island, dans le Northumberland, *ci-contre,* en Lituanie et *ci-dessous,* à l'île d'Yeu, ces cabanes de

pêcheurs, sous prétexte d'utilisation pratique, racontent tout l'amour du marin pour une coque qui ne pourra jamais plus reprendre la mer.

Rêves de vacances pour nantis fin de XXᵉ siècle. *Ci-contre,* les deux photographies du centre ont été prises en Thaïlande, dans l'île de Koh Phiphi ; *en haut et à droite,* nous nous trouvons à Kiwayu, au Kenya. Entre le luxe et le chic hippy, ces hôtels robinsonnants sont synonymes de plages bordées de palmiers, de poissons grillés, de papayes, de noix de coco et de bronzage assuré. En revanche, à Tahiti, c'est un rituel folklorique que célébrait cette cabane flottante, *en bas,* dans les années 50.

Ci-contre et page de droite, en haut : l'été, en Gironde ou, *page de droite, en bas,* sur l'estuaire de la Loire, là où la marée nécessite l'utilisation de pilotis, on poserait bien son sac à dos dans ces cabanes de pêche aux carrelets.

Ci-contre : dans un village modeste de notre douce France ou, *page de droite*, en Hollande au château de Twickel, coulent les mêmes rivières calmes, bordées d'iris, ponctuées par les mêmes abris sûrs pour des barques vénérées.

Fausses fenêtres peintes sur la
cabane d'un agriculteur
hollandais aux vraies chaussettes
tricotées pour sabots de bois
traditionnels.

C'est la plus civilisée. L'enfant des villes peut y refaire le monde. On y range les bicyclettes, les pliants, le bois. Le jardinier retraité y retrouve une certaine liberté et rêve de projets secrets. Dans son royaume on trouve : outils, pots de peinture, fil de fer, ficelle, boutures, plantes fragiles rentrées pour l'hiver ; des clapiers, des poulaillers, des édifices incertains où perchent des bestioles, des perruches, des lapins nains. Dans certaines régions boisées, ces cabanes enchevêtrées forment un amas complexe et désordonné, où le solitaire pourra supporter la vie, le temps qui passe et le travail asservissant. C'est dans cet état d'esprit que nombre de grandes compagnies industrielles du XIX\ :sup:`e` siècle ont inventé les jardins d'ouvriers, patchworks de terrains grands comme des mouchoirs de poche sur

AU FOND DU JARDIN
VÉNÉRÉE PAR LES OISIFS ET LES PERSONNES ÂGÉES, ELLE OFFRE L'ÉVASION, LA CRÉATIVITÉ

lequel chacun avait son cabanon. Ces ensembles existent toujours dans les banlieues, dans certains quartiers populaires des villes, le long des voies ferrées. A Paris même, à Ménilmontant, dans des immeubles modestes où à chaque appartement correspond encore un carré de jardin, on peut voir une Africaine étendre ses boubous à sécher par-dessus la menthe qu'elle destine à son thé, près d'un garçon de café à la retraite envahi de géraniums et obsédé de mécanique. Plus élégants, les locataires les plus récents tentent le gazon et la tomate « bio ». Le soir, chacun ferme son cabanon à clé et les vieux messieurs qui aiment lire au soleil et faire des mots-croisés laissent un dictionnaire à demeure sur le buffet protégé par un morceau de linoléum. Ces cabanes-là sont le garant de la tranquillité, l'abri sans lequel on ne pourrait rester loin de chez soi toute une journée durant.

Sur une parcelle de jardin ouvrier qu'elle loue depuis quarante ans, Maria Hofker a construit un abri à partir d'éléments anciens. A quatre-vingt-dix ans, tous les jours, elle va s'occuper de ses roses (Louise Odier, Mme Isaac Pereire, New Dawn), de ses anémones du Japon, de ses phlox, de ses pavots, de ses rangées de delphiniums, de ses cléomes et de ses nigelles. Puis, et surtout, elle les dessine et les

peint à l'aquarelle. Dans son abri, elle garde un réchaud à gaz pour se faire du thé, des chapeaux, des ombrelles, un pliant, un arrosoir, un vieux chevalet, des gâteaux secs dans une boîte en fer blanc et quelques ustensiles en émail. *Pages 72-73 :* dans un village de l'île d'Islay, en Écosse, un ancien employé d'une usine de whisky protège ses plantes du gel sous la tôle ondulée.

Ci-contre et en bas, à droite : du côté du pont de Chiswick, près de Londres, tout l'art de vivre près de la nature et de faire des boutures de poireaux chez soi ; *en bas, à gauche,* le célèbre jardinier Bob Flowerdew a une cabane au fond de son jardin. *Page de droite, en haut, à gauche,* au nord de Londres et *en haut, à droite,* en Écosse, on a à portée de main, comme sur un bateau, tout ce dont on a besoin ; *en bas,* dans l'Allier, cette ménagère ne prend pas le temps d'ôter son tablier pour aller cueillir sa salade à dix minutes de chez elle ; *à l'extrême droite,* en Hollande, Anton Shlepers a, pour le plaisir, suspendu une oie empaillée au milieu des monnaies du pape dans son abri de jardin.

Dans les monts du Lyonnais :
tôle sang de bœuf et lupins
pastels pour cet abri de jardin
repeint tous les ans.

Des cabanes pour tous les usages.

Page de gauche, à l'extrême gauche, cabane-nursery pour les enfants du peintre Gérard Garouste ; *en haut, à gauche,* cabane-colombier en Hollande ; *en bas,* cabane-wagon glissant sur ses rails : son propriétaire, un musicien hollandais qui n'a pas le droit de construire en dur sur son terrain, dit aller « en Russie » lorsqu'il va prendre le thé dans le kiosque à bulbe doré *en haut, à droite.*

Ci-contre, en haut, cabane suisse sur potager tiré au cordeau ; *en bas,* cabane-chambre d'invités construite en Alsace vers 1900.

Page suivante, à Twickel, en Hollande, une remise oubliée s'écroule au bord d'un étang d'automne.

Exotiques, les cabanes qui ombragent, *à gauche, au centre*, les bords de la route de Rock Field à la Jamaïque ou, *page de gauche*, celle qu'habite le peintre Judy MacMillan sur les collines de St-Ann, à la Jamaïque. *Cette page, en haut*, à Cascais, au Portugal, on trouve une cabane dans un jardin public aux essences rares ; *en bas*, en Uruguay, dans les bois, loin de tout, s'en cache une autre, au bord d'une route interminablement rectiligne.

La cabane professionnelle est saisonnière. Jamais liée au caprice, encore moins au plaisir, elle dépend de la fréquentation d'un lieu géographique. Surgit, s'ouvre, se ferme ou disparaît selon les us et coutumes. Fermée l'hiver, elle est nostalgique et absurde comme les romans de Modiano. Repeinte au printemps, flambant neuve, elle est promesse de bonheur, de vacances et d'enfants rieurs. Mais en août, elle est accablante, prise d'assaut par une foule consommatrice et désœuvrée. Cette cabane-là, c'est le kiosque à musique du pauvre. Elle vend des frites, des moules, des glaces, des saucisses, des brochettes, de la barbe à papa, des sandwichs ou des fruits, des crêpes ou des gaufres selon qu'elle éclôt sur la mer du Nord, l'Atlantique, la Méditerrannée, dans les Alpes des skieurs ou celles des marcheurs, en Suisse,

LES CABANES
ADAPTÉES A UNE CONSOMMATION SPONTANÉE, SAISONNIÈRE ET

à Hyde Park, ou dans le parc de Saint-Cloud. Plus volumineuse, en Alabama, en Australie, dans certains lieux de fréquentation estivale, elle peut se faire mini-épicerie, poste à essence pour une ou deux saisons avant d'être abandonnée. Plus éphémère encore, en pleine rue, évanouie d'un matin à l'autre sans laisser de trace, la cabane de l'égoutier, en communication directe avec les entrailles de la ville, permet, sans recevoir la pluie, d'absorber une soupe à la tomate, un thé au lait dans un gobelet de carton. La cabane de chantier, cube amené sur place, est une habitation éphémère. On s'y change, troquant l'habit de ville contre le vêtement de travail, on y fait chauffer sa « gamelle », et parfois on y dort. Ainsi les trois « boîtes » d'environ 2 m sur 4, occupées par les trois membres de l'équipe de tailleurs de pierres restaurant le phare de Cordouan, chef-d'œuvre Renaissance, à 20 kilomètres en mer, au large de Bordeaux. Ces trois cubes orange ont été hissés en pièces détachées jusqu'à l'immense et circulaire salle du Roi. Sans fenêtres, équipés d'un lit rudimentaire, ils surprennent, côte à côte sur le sol de marbre multicolore. Huit jours de travail au phare, huit jours à terre, huit jours dans la « boîte », huit jours chez soi. Pourtant ces artisans avaient le choix : ils auraient pu s'installer dans les logis des gardiens de phare. Ils préfèrent « l'habitude », disent-ils. Le retour à l'escargot, au bernard-l'hermite, au bulot. Liées à l'eau, les cabanes du garde-côte, du pêcheur de homards, de l'ostréiculteur. Celle du douanier, plus permanente. Celle de la lavandière russe, au bout d'un ponton sur la Volga, qui ferme lorsqu'on ne peut plus casser la glace. Aux beaux jours, on y laisse la bassine, le savon, on y abrite

DE FONCTION

PRÉCAIRE, CE SONT LES SEULES QUI AIENT UNE VOCATION MERCANTILE

le landeau du « petit » pendant que, sur un étroit chemin de ronde, à genoux, on lave à même le fleuve, un fichu bien amarré sur la tête. Celles des résiniers, des feuillardiers sont liées à la forêt. Dans le cas de ce métier en voie de disparition, l'édifice est construit entre quatre arbres vifs, ces noisetiers et ces châtaigniers mêmes qu'ils travaillent au moment où la sève le permet pour en faire paniers, clôtures ou sièges... En pierres, avec son toit de tuiles, toujours insolite, celle du vigneron est liée à la vigne comme un signal mystérieux. L'écrivain, qui pourrait écrire n'importe où avec ses crayons, ses plumes et son papier, sa machine à écrire ou son ordinateur, choisit souvent une cabane tout près de la maison. C'est la famille, les bruits domestiques, la tentation du quotidien qu'il fuit pour écrire à l'écart, dans son garage comme Dylan Thomas, dans son appentis comme Henry James,

Roal Dahl, Virginia Woolf, Bernard Shaw. Gustav Malher écrivit une grande partie de son œuvre dans un abri en bois. Aux Marquises, Gauguin disposait, à Hiva-Oa, d'un « faré » fait de planches clouées, tapissées de lattis de bambous, avec un toit de feuilles de cocotiers tressées ; il servait à la fois d'atelier et d'habitat. « Maison du jouir », avait gravé le peintre sur les trois panneaux qui surmontaient ses portes. « Soyez amoureuses et vous serez heureuses » et surtout « Soyez mystérieuses » ; c'est là, comme le raconte Victor Segalen, qu'après avoir beaucoup peint, écrit, sculpté et aimé, il mourut tristement en 1903. Un autre peintre, hollandais celui-là, il y a trente ans, a transporté dans les bois une cabane de chantier sur un terrain prêté par une vieille paysanne, loin, très loin de toute ville. Il a masqué cette structure

ICI L'ON VEND DES FRITES, DES MOULES, DES SAUCISSES, DE LA BARBE À PAPA, DES POMMES D'AMOUR, DES CRÊPES, DES GAUFRES, DES BELONS, DES COQUILLAGES, DES BALLONS ET PUIS L'ON FERME JUSQU'À L'ANNÉE PROCHAINE

brute par des couches successives de branchages, de planches et de poutres recouvertes de lichen vert. Il a planté des hêtres crochus le plus près possible, favorisant les branches basses, creusé un puits ceinturé d'une pierre ancienne récupérée en guise de salle de bains. Il y vit avec son violon, son tabac, ses pastels et ses fusains. Un réchaud et un poêle archaïque lui tiennent lieu de confort. Avec le temps, cette cabane s'est meublée de toutes les trouvailles glanées dans les champs : plumes, fossiles, fer à cheval, nœud bizarre dans une branche. Tout un bric-à-brac aussi délicieux qu'extravagant. Jamais vu et surtout jamais acheté. Une heure dans cette cabane est un voyage privilégié dans le temps. Tout aussi isolées, mais bien plus inquiétantes, menaçantes, surgissant au hasard, la cabane du contrebandier, celle du trappeur, restent les plus difficiles des cabanes professionnelles à situer, à photographier.

Ci-contre : prospère l'été, endormie l'hiver, la cabane à gaufres de Binic, sur la côte bretonne. *Ci-dessous,* toujours en service, le bureau du garde-côte d'Aldeburgh dans le Suffolk.

Pages suivantes : quelque part dans le centre de la France, désormais aveugle et nanti d'une perruque de vigne vierge qui l'engloutira bientôt, un poste à essence qui servait naguère Panhard, Vedette et autres berlines.

Studieux, ils ont un air de famille, *page de gauche, en haut, et médaillon du haut,* le garage bleu de Dylan Thomas près du *boat-house* de Laugharne où il vivait dans le Pays de Galles ; *médaillon du bas,* face aux célèbres Downs, la cabane en planches de Virginia Woolf au bout du jardin de Rodmell, dans le Sussex ; *à droite,* en tôle rose, celle de l'écrivain Jose de la Vega disparaissant sous les *pandora pandorana,* en Australie ; et, *page de gauche, en bas, à gauche,* l'abri à caravane réaménagé où l'auteur de ces lignes travaille sous un érable faux acacia, à Ménilmontant.

A Paris, pour endosser ses vêtements de travail ou pour réchauffer sa gamelle, une cabane de chantier qui, amenée sur le seuil de l'église de la Madeleine, aura sans doute disparu demain.

Ci-contre : sur les flancs de l'Etna, en Sicile, et, *page de droite, en haut,* en Champagne, sur une route, au bord d'un immense champ de céréales, des cabanes de maintenance pour matériel professionnel. *Ci-contre et page de droite, en bas,* Stonington, dans le Maine, aux États-Unis, cabanes de homardiers, comme tout droit sorties des toiles d'Andrew Wyeth : elles servent à débarquer les crustacés directement du bateau ; on les y lave, les calibre, les pèse ; on les y place dans des caisses ; et on y range casiers, bottes, cirés, sans oublier le moteur de la prochaine pêche en mer. Pour le plaisir, on les décore souvent de vieilles bouées rouges qui défient le brouillard. *Ci-contre,* la guitoune du gardien d'un village de vacances sur l'estuaire de la Tamise.

Petites et insignifiantes, on pourrait presque intervertir ces trois bicoques : en Angleterre, *ci-contre,* la cabane du gardien qui entretient la pelouse de sport de Montacute, dans le Somerset ; *médaillon du haut,* la cahute des ouvriers du ballast, à Tenterden, dans le Kent ; et *médaillon du bas,* en Suède, un hangar à bateau à l'extrémité de son ponton.

Les cabanes du commerce. *Page de gauche, en haut,* marchand de cercueils, à la sortie de l'autoroute de Monbasa, au Kenya ; en bas, buvette-épicerie, providence du voyageur, dans un coin perdu des Everglades, en Floride. *Ci-contre, en haut,* marchand de coquillages, corail et étoiles de mer à Montego Bay, Jamaïque ; *en bas, à gauche,* dans l'East Anglia, un étal de fruits, de fleurs et de légumes frais – on se sert et on laisse son argent dans la boîte en fer ; *à droite,* cabane-barbecue sur la piste de ski de fond qui relie Sils-Maria à Majola, en Engadine.

Ci-dessous : à Chelsea, à Londres, une cabane dans laquelle les chauffeurs de taxi se reposent, discutent ou réchauffent leur repas. *Ci-contre,* remise à mobilier de jardin dans un square de Mulhouse.

Page 102 : en Camargue, face au delta du Rhône, où s'ébattent les flamands roses, un lieu d'aisance sans porte – l'utilisateur vit dans une caravane installée définitivement à quelques mètres.

Aller « au bout du jardin » est l'une des expressions consacrées lorsque l'on se rend aux lieux d'aisance. Ces cabanes en bois que l'on appelait aussi « feuillées » n'ont pas autant disparu qu'on le croit. Dans la campagne de la Creuse, qui n'est pas entièrement équipée du tout-à-l'égout, une famille sur deux se rend encore « au bout du jardin ». Guy et Geneviève Gibaud, maraîchers d'une quarantaine d'années ayant hérité de l'édicule qui vient de s'écrouler, en ont récemment édifié un autre en tout point semblable. Leurs règles sont très strictes. Modernes, cultivés, lecteurs du Monde, ils ne pensent pas pouvoir s'habituer à autre chose malgré les injonctions de leur fils qui voit les w.-c. à la maison comme la télé dans le living. « L'édifice doit être assez spacieux pour s'y mouvoir. Il

LIEU D'AISANCE

MODERNE ET DÉMODÉ, CET ABRI ACCUEILLE DANS LA NATURE LE CORPS EN LIBERTÉ

sera construit tout en bois de châtaignier, siège compris, avec des murs à claire-voie afin de voir sans être vu. Il est aussi souhaitable de disposer d'un agréable panorama. Assez loin de la maison, nous nous y rendons avec une lampe électrique et il y a toujours un ou deux clous pour accrocher un vêtement. » Les Gibaud refusent les « cuvettes » de récupération en porcelaine, tout comme l'emploi du parpaing cimenté qui les isolerait de l'extérieur. Sont-ils arriérés ou avant-garde ? Loin du puritanisme du XIXe siècle, en accord avec la récente redécouverte du corps et de la nature, ils rejoignent de façon surprenante les propos de Tanizaki, écrivain japonais qui fait l'apologie des lieux d'aisance dans son livre *Éloge de l'ombre,* même s'il leur reconnaît deux inconvénients évidents : l'éloignement, surtout la nuit, et le risque, en hiver, d'y attraper froid : mais qu'est cela comparé aux qualités qu'il leur trouve ? Ici l'humain rentre dans le cycle de la Nature, acteur et contemplateur à la fois. « Chaque fois que, dans un monastère de Kyoto ou de Nara, l'on me montre le chemin des lieux d'aisance construits à la manière de jadis, semi-obscurs et pourtant d'une propreté méticuleuse, je ressens intensément la qualité rare de l'architecture japonaise …/… Toujours à l'écart du bâtiment principal, ils sont disposés à l'abri d'un bosquet, d'où vous parvient une odeur de vert feuillage et de mousse …/… Et cela tout particulièrement dans ces constructions propres aux provinces orientales, où l'on a ménagé, au ras du plancher, des ouvertures étroites et longues pour chasser les balayures, de telle sorte que l'on peut entendre, tout proche, le

« NOS ANCÊTRES QUI POÉTISAIENT TOUTE CHOSE AVAIENT PARADOXALEMENT RÉUSSI A TRANSMUER EN UN LIEU D'ULTIME BON GOÛT L'ENDROIT QUI… DEVAIT PAR DESTINATION ÊTRE LE PLUS SORDIDE » TANIZAKI

bruit apaisant des gouttes qui, tombant du bord de l'auvent ou des feuilles d'arbre, éclaboussent le pied des lanternes de pierre, imprègnent la mousse des dalles avant que ne les éponge le sol …/… Nos ancêtres qui poétisaient toute chose, avaient réussi paradoxalement à transmuer en un lieu d'ultime bon goût l'endroit qui, de toute la demeure, devait par destination être le plus sordide, et par une étroite association avec la nature, à l'estomper dans un réseau de délicates associations d'images. Comparée à l'attitude des Occidentaux qui, de propos délibéré, décidèrent que le lieu était malpropre et qu'il fallait se garder même d'y faire en public la moindre allusion, infiniment plus sage est la nôtre, car nous avons pénétré là, en vérité, jusqu'à la moelle du raffinement ! »

104   (*Éloge de l'ombre,* Paris, Publications Orientalistes de France, 1988, trad. René Sieffert.)

Au Népal, à Katmandou,
toilettes et douches dans une
pension pour randonneur
averti.

Tous deux privés et légèrement
à l'écart de la maison, deux
lieux d'aisance avec vue : l'un,
ci-dessous, donne sur le paysage

grandiose du Montana, l'autre,
ci-contre, en shingle, dans le
Connecticut, donne sur un lac.

A gauche : dans la baie de Somme, à l'extrémité du pré qui fait office de jardin, un édicule au plancher percé, suspendu au-dessus de l'eau. *En médaillon,* un autre, dans la

Creuse, tout en châtaignier, face aux légumes du maraîcher. *A droite,* en Suède, à quelques mètres de la maison principale, entre bouleaux et pins, on est bien loin, avec ce décor raffiné, des feuillées d'antan.

REMERCIEMENTS

Pour leur aide enthousiaste et amicale, durant la conception de ce livre ô combien subjectif et
inexhaustif,
je remercie particulièrement

R. Beaufre, M.-F. Bouchaud, V. Breton, J.-V. Brown, J. Darblay, J. Dirand, A. Garde, F. Gilles,
J.-P. Godeaut, F. Halard, J. Hecktermann, M. Heuff, M. Hogg, F. Huguier, T. Jeanson,
F. Martinet, J. Powell-Tuck, B. et D. Wirth.
Ils sont loin d'être tous photographes, et je remercie les autres qui le sont, et qui ont prêté leurs
documents.

Je remercie également
S. Howell, E. Morin, B. Saalburg, Norbert X. Slavik, I. Terestchenko, M. Tighe, A.-J. Walter.

Sans oublier, bien sûr
I. Calvino, D. Defoe, F. Mauriac, J. et W. Grimm, Montaigne, la comtesse de Ségur,
R.-L. Stevenson et Tanizaki.

Ci-dessus : la chapelle dans l'if. Normandie.

CRÉDITS PHOTOGRAPHIQUES

Roland Beaufre, 37 *en haut.*

Henry Bourne, *The World of Interiors,* 43.

M.-F. Boyer, 16 *en haut,* 17, 83 *en haut,* 90 *en bas, à gauche,* 96-97, 108 *à droite.*

Véronique Breton, 47 *en haut.*

Luc Choquer, *Marie-Claire,* 26-27.

Tim Daly, 33 *au centre,* 94 *en bas.*

Jérôme Darblay, 41, 78 *à gauche,* 99 *en bas, à droite,* 106-107, 109.

Gilles de Chabaneix, 16 *en bas,* 52.

Jacques Dirand, 18 *en haut,* 40, 61 *à gauche,* 61 *à droite,* 65 *en haut,* 76-77, 88-89, *page de garde.*

David Ferris, 60.

Anne Garde, 1, 30-31, 37 *au centre,* 44-45, 45 *à droite,* 46 *au centre, à gauche,* 46 *en bas, à droite,* 47 *en bas,* 64, *page de garde.*

Denis Gilbert, 32-33, 33 *en haut.*

François Gilles, 55 *en haut,* 100 *à gauche.*

Jean-Pierre Godeaut, 2-3, 22-33, 25 *à gauche,* 25 *à droite,* 34-35, 62 *en haut,* 62-63, 65 *en bas,* 79 *en bas,* 92-93, 100-101.

François Halard, 102.

Jerry Harpur, 74 *en bas, à gauche.*

Joan Hecktermann, 98 *en haut.*

Marijke Heuff, 10, 18 *au centre,* 48-49, 50, 50-51, 55 *en bas,* 67, 68, 70 *à gauche,* 70 *à droite,* 71 *à gauche,* 71 *à droite,* 75 *en bas, à droite,* 78 *en haut, à gauche,* 79 *en haut,* 80-81, 90 *en bas, à droite,* 94 *en haut,* 95 *en haut,* 105.

Min Hogg, 75 *en haut, à gauche,* 83 *en bas, à droite.*

Françoise Huguier, 28 *en haut,* 28 *en bas, à gauche,* 28 *au centre, à droite,* 28 *en bas, à droite,* 72-73, 75 *en haut, à droite.*

Groupe Huit, 33 *en bas.*

Thibault Jeanson, 13, 15 *en bas, à droite,* 16 *à gauche et page de garde,* 19, 26 *à gauche,* 66, 78 *en haut, à droite,* 78 *en bas,* 106 *à gauche.*

Cookie Kinkead, 7, 82, 83 *au centre et page de garde,* 99 *en haut et page de garde.*

Clare Lambert, 12.

Bernard-Marie Lauté, 87 *à gauche.*

Francis Martinet, 108 *à gauche.*

Gideon Mendel, *Observer,* 36-37.

Paul Montecalvo, 94 *au centre,* 95 *en bas.*

Julian Powell-Tuck, *couverture,* 14-15, 56, 57, 58-59, 87 *à droite, page de garde.*

George Seper, *Vogue Australia,* 91.

Alan Shepherd, 90 *en haut, à gauche,* 90 *en haut, à droite.*

J.-F. Teaule, 46 *en bas, à gauche.*

The World of Interiors, 38-39, 46 *en haut, à gauche,* 46 *en haut, à droite.*

Michael Tighe, 15 *en haut,* 18 *en bas,* 62 *au centre (deux ill.),* 99 *en bas, à gauche.*

John Vere Brown, 29.

Alison J. Waters, 97 *en haut.*

Franck Watson, 74 *en haut,* 74 *en bas, à droite.*

Didier Wirth, 37 *en bas, à droite,* 97 *en bas, à droite.*

Debra Zuckermann, 98 *en bas,* 98 *en bas, à droite.*

D.R., 75 *en bas, à gauche,* 110.

Cet ouvrage composé par Hérissey à Évreux
a été reproduit et achevé d'imprimer en janvier 2002
par l'imprimerie C.S. Graphics (Shanghai)
pour les Éditions Thames & Hudson.
Dépôt légal : 2ᵉ trimestre 2002
ISBN : 2-87811-213-X
Imprimé en Chine